Rachel FLORA

carla bruni

EDITIONS
FAN DE
TOI

Disponibles

Collection Spectacles :
■ Amy Winehouse | chansons et spectacles ■ Avril Lavigne | chansons et spectacles ■ Calogero | chansons et spectacles ■ Christophe Maé | chansons et spectacles ■ James Blunt | chansons et spectacles ■ Mika | chansons et spectacles ■ Raphaël | chansons et spectacles ■ Tokio Hotel | chansons et spectacles ■ Yael Naim | chansons et spectacles ■ Zazie | chansons et spectacles.

Collection Biographies :
■ Diam's | la revanche du rap.

Collection | Les coulisses de la tournée :
■ Sanseverino | les coulisses de sa tournée 2008.

Hors collection :
■ Claude François | à la recherche de son image ou l'histoire d'un dessin. ■ Les Beatles | avant la gloire

Editions Fan de Toi

1, Quai de Pors Moro
29120 Pont l'Abbé
Tél : 02 98 66 13 70 – Fax : 02 98 82 35 56

contact@editions-fandetoi.com

Pénétrez dans l'univers musical de vos idoles !
www.editions-fandetoi.com

carla bruni

Carla Bruni : un mythe, plus qu'une simple femme. « Personne ne résiste à Carla Bruni-Sarkozy. À son charme enjôleur, tout en douceur, en contrepoint, en éclat d'intelligence servi par sa voix chaude, paresseuse, tricotant l'intime. Une mèche sur la pommette, et ce sont toutes les défenses qui tombent. » décrit un magazine.

Sa double personnalité - chanteuse et première dame - compose un cas unique dans le théâtre de la chanson. Lorsque l'on cherche l'exemple dans le temps ou ailleurs, il n'existe pas.

Depuis le 11 juillet 2008, on ne parle que de lui : le nouvel album de Carla avec ses ballades au timbre voilé. La chanteuse transmet remarquablement sa sensibilité à fleur de peau. Ses chansons d'amour passionnées sont infiniment exaltantes. Des torrents d'encre continuent à se déverser dans la presse, tant la ferveur suscitée est grande. Le succès promet d'être planétaire car ici, tous les éléments sont réunis pour cela.

«Comme si de rien n'était « est le disque d'une femme pas comme les autres, qui joue le dédoublement de sa personnalité à fond. Elle réussit fort bien cette expérience inédite, impressionnant au passage tous les observateurs.

Carla mannequin, actrice, puis chanteuse, c'est vers cette artiste multiple que s'oriente cet ouvrage dithyrambique, laissant volontairement de côté son autre face, celle de femme du président.

En Italie, le septième art au début des années 1900, a longtemps nourri l'image du luxe de Vittorio De Sica, Visconti, en passant par Bertolucci. Peu à peu, les choses se sont atténuées, donnant à la noblesse de ce pays, une importance plus acceptable. Toujours est-il, le souvenir demeure entier. On garde en mémoire ces propriétés à la beauté insolente et ces opulences que l'on exhibe. Les Bruni Tedeschi, à cette époque, font également partie de ces familles richissimes possédant d'importants biens industriels.

Le grand-père paternel de Carla, Virgino, a bâti sa fortune dans divers domaines comme le pneumatique, la gomme, le rail, le câble. CEAT, la société de Virgino, offre certainement la vision d'une des plus spectaculaires réussites turinoises. Dans l'industrie du pneu, difficile de trouver une comparaison équivalente, sauf peut-être Pirelli. Tedeschi est un nom juif d'Italie du Nord. Quand Virgino épouse une catholique pendant la Première guerre mondiale, il est aussitôt banni par la communauté juive de Turin. D'ailleurs, il n'élèvera pas ses enfants dans la confession juive et la génération suivante fera de même avec ses enfants. Pour autant, le patronyme Tedeschi est conservé, sauf pour Carla au moment d'entreprendre une carrière de mannequin, mais c'est uniquement pour une raison pratique. Carla Bruni Tedeschi, difficile de s'appeler ainsi quand on entre dans le milieu de la mode ! Au contraire, sa sœur Valeria a toujours voulu garder ce nom. Bref, cela dépend beaucoup de la situation professionnelle de chacun.

La famille de Carla

Et puis, Virgino a un fils, Alberto, né à Moncalieri près de Turin, en 1915. Alberto effectue de brillantes études de droit avant de se consacrer à son tour à l'affaire familiale. C'est au milieu des années 70, qu'il décide de vendre ses usines. Il faut dire qu'Alberto mène une double vie professionnelle harassante. En dehors de son rôle de PDG, il est un compositeur d'Opéra réputé et très prolifique. La musique est depuis toujours sa grande passion et par goût il collectionne les objets d'art. Alberto étudie la composition musicale avec Giorgio Federico Ghedini. Il n'a que 26 ans quand il livre un premier opéra, *Villon*, en 1941. Cet opéra monté à Bergame avec la cantatrice Giuletta Simionato, sous la houlette de Gianandrea Gavazzeni devient un grand succès. Un superbe livret l'accompagne, signé par Tullio Pinelli devenu célèbre en tant que coscénariste de *La Dolce Vita*, de Fédérico Fellini.

Alberto est doué et ses compositions s'enchaînent dans les années quarante et cinquante. Il présente à Venise *Variations pour orchestre*, puis *Une messe pour la mission de Nyondo*, dont on découvre la première à Hambourg, en 1951. Alberto mériterait bien une récompense ! C'est bientôt chose faite, puisqu'il reçoit le Prix de Trieste en 1953 pour un poème symphonique, *Birkenhead*.

En 1959, tout en menant de front diverses activités, Alberto devient en plus surintendant du magnifique théâtre Regio de Turin. Ses affaires sont aussi florissantes que nombreuses. Jusqu'en 1971, il conservera la charge de surintendant. Toujours en 1959, il se marie à Marisa Borini, une pianiste virtuose. De ce mariage naîtront trois enfants : Virginio en 1960, Valeria en 1964 et Carla, la cadette, le 23 décembre 1967.

Mais revenons quelques années en arrière, en 1952 très précisément. Grâce à sa fortune, Alberto est en mesure de satisfaire ses goûts en matière de belles bâtisses. Il acquiert le Castello de Castagneto, une forteresse datant du XIème siècle, dont il est fier. Néanmoins, des travaux s'imposent pour lui donner l'embellissement d'autrefois. Ce n'est pas un obstacle pour cet homme entreprenant et aux moyens considérables. Il souhaite redonner à ce château la beauté que le temps lui a pris. Il contrôle ce chantier titanesque de bout en bout. Une fois restaurée, la splendide bâtisse en brique rouge et aux volets verts, accueille toute la famille. C'est là que Carla passe la majeure partie de sa jeunesse. Tous ceux qui ont franchi les grilles auront remarqué le cadre éblouissant du lieu. La longue allée qui conduit à la vaste demeure est d'une beauté saisissante avec son tapis de verdure de part et d'autre.

Vivre dans cet endroit paradisiaque est une chance inouïe pour ce couple et ses enfants. Seules les classes privilégiées peuvent accéder à ce rêve suprême. Pourtant, la famille Bruni Tedeschi va quitter cette antique demeure pour habiter définitivement à Paris en 1973. Les gens riches d'Italie craignent pour leur sécurité. En effet depuis le terrible attentat de la Piazza Fontana, à Rome, le 12 décembre 1969, faisant seize morts et cent blessés, les grandes fortunes fuient de plus en plus l'Italie. À la suite de cet horrible événement, une fondation créée par les Brigades rouges voit le jour en 1970. Ce groupe particulièrement bien organisé sème la terreur pendant de longues années. La famille Bruni Tedeschi a donc préféré s'exiler. Elle laisse à contre cœur un lieu de grande valeur affective et d'une richesse marchande exceptionnelle. Le Castello regorge d'objets précieux : des tapisseries des Gobelins appartenant jadis à Louis XIV, un lustre acquis par Napoléon, un bureau avec un placage de bois de tulipe datant de 1740, mais également des chaises uniques, des services de porcelaine rares, des sculptures de bronze, des fresques de Govin et Sereno. Tout est sublime, d'un raffinement hors du commun. Mais Alberto est quelqu'un qui a toujours poussé à l'extrême son goût du luxe. Quand il désire une pièce unique, il l'obtient coûte que coûte.

Alberto décède le 17 février 1996 à l'âge de 80 ans, laissant un impressionnant patrimoine : des œuvres musicales à succès et également une collection d'art superbe vendue par Sotheby's à Londres, en mars 2007. La somme de cette opération dépasse toutes les prévisions les plus optimistes avec ce chiffre éloquent : 18 millions d'euros réalisés ce jour-là. Alberto a été prolifique jusqu'au bout de sa vie, car sa dernière œuvre *Il mobilo rosso* (Le meuble rouge) est présentée en 1994 à l'opéra d'Avignon. La partition est d'ailleurs acquise lors de la vente à Londres. Mais alors, que reste-t-il comme biens ? La vente mobilière a diminué considérablement l'héritage. La famille possède toujours des immeubles en région parisienne, dans le sud de la France et également à Rome. Des lieux très pratiques qui servaient entre autres à entreposer les objets d'art qu'Alberto se procurait. Le Castello turinois a même failli être vendu.

Si la famille s'est séparée de pratiquement tous les biens, en sa possession, c'est en raison du décès de Virginio le 4 juillet 2006. Malade du sida, le grand frère de Carla est parti rejoindre son père, parmi les étoiles. Il était un marin chevronné mais encore un graphiste peintre très doué et renommé. À sa mort, pour honorer sa mémoire, sa mère Marisa décide de créer la Fondation Virginio Bruni Tedeschi, le 12 février 2007, à Turin. Tous les bénéfices réalisés lors de la vente londonienne seront alors reversés à la fondation pour venir en aide aux malades du sida. Par ailleurs, l'Unesco apporte à son tour son soutien à la présidente en accordant 1,27 million d'euros pour éduquer le peuple d'Afrique australe. Marisa, en compagnie de ses deux filles, Valeria et Carla, ont assisté à la cérémonie organisée par l'Unesco à son siège parisien.

Elle sait tout faire avec brio

Il faut parler de l'humanité de la famille Bruni Tedeschi. Dans la peine, elle n'a jamais baissé les bras. Au contraire, elle a fait preuve de courage et de bonté envers ceux qui ont contracté le sida. Marisa n'a pas hésité une seconde à engager sa fortune pour se rendre utile. Bien peu de gens aisés font un tel geste salutaire. Dans le milieu de la bourgeoisie, en général, seul le profit paraît important et les attentions sont rares. Marisa ne fait assurément pas partie de ces gens pensant seulement à leur bien-être. Elle agit avec une détermination remarquable. La maman de Carla a du cœur et pas seulement pour les siens. Cette femme généreuse est également remarquée pour son talent de pianiste concertiste. Mais, c'est au cinéma que le public lui exprime son plus grand enthousiasme. À chaque film, Marisa laisse un grand souvenir aux spectateurs. Son premier film *Il est plus facile pour un chameau...* est réalisé par sa fille actrice, Valeria. Un film conçu à partir de la vie personnelle de la réalisatrice. Carla ne joue pas encore. Ce sera pour plus tard, entre la fin de ses activités de top-modèle et avant de se lancer dans la chanson. Au sein de cette famille unie et complémentaire, on partage un goût évident pour les arts. Marisa poursuit son parcours cinématographique avec réussite. Elle réapparaît en 2005 dans *La Petite Chartreuse*, de Jean-Pierre Denis où elle tient un des rôles principaux avec Olivier Gourmet et dans La Boîte noire de Richard Berry. Cette fois, elle partage la distribution aux côtés de José Garcia et Marion Cotillard. Récemment, elle vient de jouer *Actrices*, le deuxième film réalisé par sa fille Valeria. Le talent de cette femme est incontestable. Elle a même participé aux œuvres de son mari tout en jouant pour elle-même des œuvres de Liszt, Schubert, Beethoven et Brahms. Diplômée de pianoforte du Conservatoire Giuseppe-Verdi de Turin, Marisa excelle à travers tout ce qu'elle touche. Mais depuis la mort de son fils Virginio, le 4 juillet 2006, elle est si affectée qu'elle ne songe plus à jouer. Son piano n'a plus émis un son à partir de ce jour douloureux.

Heureusement, la famille Bruni Tedeschi est très solidaire. Valeria, Carla et leur maman s'adorent. Chacune a toujours pu compter sur le soutien des deux autres. Valeria entame une carrière cinématographique prometteuse. Elle est la première de la famille à intéresser le public français. On la découvre en tant qu'actrice à la télévision à travers une œuvre de son père Alberto, intitulée *Paolino, la juste cause et la bonne raison* et un peu plus tard au théâtre avec pour metteur en scène, Patrice Chéreau. Ce dernier a d'ailleurs été son professeur à l'école dans Amandiers de Nanterre. Un peu plus tard, il lui offre un rôle important dans le film *Hôtel de France*, en 1987. Mais c'est en 1993 que Valeria connaît le grand succès avec *Les gens normaux n'ont rien d'exceptionnel*, de Laurence Ferreira Barbosa. La sœur de Carla jugée excellente dans ce film, reçoit comme récompense le César du Meilleur espoir féminin, en 1994.

Valeria va connaître un parcours prodigieux et intense au cinéma. En vingt ans de carrière au sommet, elle totalise pas moins de cinquante films. C'est dire son omniprésence sur les plateaux de cinéma. Parmi les innombrables rôles qu'elle a joués, citons par exemple : *La Reine Margot* (Patrice Chéreau), *L'Amoureuse* (Jacques Doillon), *Mon homme* (Bertrand Blier), *La Nourrice* (Marco Bellochio), *Peau d'ange* (Vincent Perrez), *Au cœur du mensonge* (Claude Chabrol) …Valeria a elle aussi plus d'une corde à son arc. Actrice, réalisatrice, elle coécrit en plus les dialogues du film *Mots d'amour* de son compagnon Mimmo Calopresti.

Carla, la fille cadette, est plongée depuis l'enfance dans le bain des arts. Et, toute sa famille remarque qu'elle n'est pas indifférente. Elle adore la musique, le cinéma et plus généralement les métiers en relation avec le public. Carla, la petite dernière, ne peut que rêver à un semblable destin. Elle deviendra à son tour quelqu'un : une reine incontestée dans le spectacle des défilés, une divinité au cinéma, une chanteuse au joli brin de voix. Mais, en plus de s'auréoler de gloire, elle goûtera au destin suprême de première dame de France. Maintenant que nous connaissons un peu mieux la famille de Carla, nous brûlons vraiment d'impatience de la découvrir, elle. Pas vous ! Alors retournons dans le passé pour saisir sa vie, là où elle a commencée, un certain 23 décembre 1967.

C'est à l'âge de cinq ans que Carla arrive à Paris avec toute la famille. La fillette entourée de parents musiciens est rapidement séduite par les morceaux qu'elle découvre, de son oreille attentive et curieuse. Alors qu'elle fréquente les internats privés suisses et français pour ses études, Carla s'initie à la guitare et au piano pendant son temps libre. On la voit également griffonner ses premiers textes sur un carnet à spirale. Aimant la littérature et l'écriture, elle s'amuse à composer des chansons. La petite fille est déjà une artiste accomplie. Elle sait tout faire et avec brio. Mener de front des études studieuses et apprendre la musique, c'est un programme extrêmement prenant pour une aussi jeune gamine. Mais c'est sans compter sur son énergie débordante et sa grande capacité à réaliser plusieurs activités en même temps. Carla grandit plus vite que les autres filles de son âge. Elle a déjà l'attitude d'une grande personne : elle fait des projets, aime converser avec les adultes et s'intéresse à tout ce qui compose la vie en général. Au cours d'une interview récente, Carla évoque ses jeunes années et nous aide à mieux la comprendre à cette époque : « Mon enfance a été belle, solitaire aussi. L'Italie était différente. J'étais pleine de pressentiments et j'adorais ça. Je nourrissais de grands espoirs, je m'inventais un destin. Puis j'ai été une adolescente turbulente avec, disons, un goût de l'expérimental. J'avais une grande curiosité pour les garçons, pour la musique, pour l'art et pour les expériences en général, des voyages aux drogues diverses. Je suis étonnée par les gosses d'aujourd'hui, studieux, sérieux, peureux. J'ai beaucoup d'amis de cinquante ans. Leurs enfants ont vingt-cinq ans et partent en vacances avec eux. Moi, à dix-huit ans, il aurait fallu m'écharper pour que je suive mes parents. Je voulais bâtir mon monde. »

Jeune et ambitieuse

Carla ne croît pas si bien dire. Elle va bâtir son monde, et avec une incroyable dextérité. On vous l'a dit : elle est douée. La demoiselle poursuit ses études d'architecture à La Sorbonne à Paris, en 1986. Mais, la jeune fille manque de motivation. Cette orientation ne semble pas lui convenir. En 1987, Carla décide d'arrêter ses études, soulagée et libre. Ses parents sont déçus, évidemment. Ils espéraient secrètement que leur fille cadette puisse devenir un jour une brillante architecte. Toute la famille se console comme elle peut. Carla ne les rassure pas, bien au contraire, en révélant ensuite son impulsion pour la mode, au point de vouloir tenter sa chance comme top modèle. Cette fois, l'inquiétude est à son comble après de telles déclarations ! Carla croit pourtant en ses chances, même s'il est difficile de faire carrière dans un milieu aussi peu ouvert. Les mannequins ayant réussi sont en effet peu nombreux. Avec des parents musiciens, un frère graphiste, peintre et photographe, une sœur actrice, on la voyait plutôt se diriger vers l'un de ces arts. Pourtant Carla va se démarquer des usages familiaux pour faire ce qui lui plaît et trouver l'indépendance qu'elle recherche. « J'en avais marre de demander de l'argent à mes parents. J'avais envie de trouver un job qui me permettait d'être indépendante tout de suite. Être médecin m'obligeait à faire huit ans d'études et comme je suis paresseuse… »

La jeune femme, passionnée de musique s'aventure dans la chanson

En 1988, Carla est bien décidée à se faire un nom dans le milieu de la mode. Même si au départ la famille est quelque peu surprise par sa décision, la future reine des podiums est soutenue d'emblée par les siens. La demoiselle possède les atouts de la séduction : un physique parfait et une taille de guêpe. Dans le milieu de la mode, on ne demande pas mieux de rencontrer la personne présentant ces critères. Aucun souci donc, pour trouver un employeur. Ils sont d'ailleurs plusieurs à s'intéresser à Carla. C'est finalement l'agence parisienne City Models qui lui offre un contrat et de son côté, Paul Marciano, président et directeur de Guess vont la faire découvrir au monde entier. Notre top modèle semble bien partie pour faire carrière car elle signe avec le prestigieux Women Model Management à New York et le non moins célèbre Storm à Londres. De nombreux magazines diffusent son portrait pour les publicités de Dior, Prada, Chanel, l'Oréal, Givenchy, Morgan… Un peu plus tard, elle défile pour les plus grands couturiers : Valentino, Yves Saint Laurent, Paco Rabanne, Christian Lacroix, Karl Lagerfeld… Carla est toujours très estimée par les maîtres de la mode. Les qualificatifs ne manquent pas pour lui dire combien elle est sensationnelle. Certains sont même devenus des amis. À 20 ans, elle partage les plus importants podiums aux côtés de Claudia Schiffer et Naomi Campbell. Une formidable ascension pour cette débutante qui jusque-là était la moins connue de la famille Bruni. La belle demoiselle a en elle la vocation de top modèle, c'est certain, tant elle est agréable à regarder. D'ailleurs, le regard des autres lui plaît beaucoup. Cette profession lui donne bien des satisfactions de ce côté-là. Tous ces gens qui s'empressent de la voir, tant mieux car elle adore. « Je me suis toujours sentie remarquée mais jamais je n'ai pensé que c'était pour ma beauté. J'étais timide, mais la timidité, c'est une immense prétention : c'est croire que tout le

Contre toute attente…

monde vous regarde et le regard des autres me fascinait. Aujourd'hui encore, j'aime être regardée. Le pire pour moi, ce n'est pas de déplaire, c'est de ne pas être vue. Et pourtant, je ne suis pas si remarquable. J'ai l'impression de ne pas avoir de style, je ne suis adepte ni du maquillage ni des vêtements apparents. Ce que j'aime, c'est le bleu marine, le noir, la simplicité, la réserve, la ligne. Les dandys et les excentriques me fascinent. Mais ce n'est pas moi. »

Dans les années 90, cette princesse de la mode est à l'apogée de sa gloire. Elle fait toutes les couvertures des grands magazines français, mais pas seulement. En Angleterre, en Australie, aux Etats-Unis, elle est devenue une figure des défilés de mode. Sa popularité dépasse les frontières. Elles sont une poignée à se partager ainsi les plus prestigieux podiums. La nouvelle génération de top modèle prend une place beaucoup plus importante qu'avant aux yeux des gens. Pour Carla, Naomi Campbell, Claudia Schiffer, Karen Mulder, Cindy Crawford, Linda Evangelista, Christy Turlington, Kate Moss… c'est une vraie reconnaissance à travers ce qu'elles font. Grâce à la médiatisation de plus en plus grande des mannequins à partir des années 90, elles sont devenues des vedettes, au même titre que les artistes. Juste avant elles, on connaissait à peine leur visage et encore moins leur nom. Inès de la Fressange, par exemple, est arrivée à un moment où les mannequins n'avaient pas encore ce regain de popularité. Elle a dû très vite se reconvertir en couturière en réussissant d'ailleurs fort bien cette expérience. D'autres, par contre, n'ont pas eu cette chance et sont tombées dans la déprime.

Mais pour les mannequins célèbres de l'époque de Carla, tout roule parfaitement. Les filles gagnent très bien leur vie et quand elles arrêtent leur carrière, elles n'ont aucun mal à se reclasser (publicité, cinéma, chanson…). Carla avoue vivre un rêve de pur bonheur, elle qui souhaitait être regardée. La demoiselle obtient même davantage, puisque la planète entière a les yeux tournés vers elle. On considère les mannequins comme des stars et les affaires des couturiers prospèrent selon leur présence lors des défilés. On voit également se multiplier les liaisons de cœur entre gens

célèbres. Pas étonnant, les mannequins sont conviés aux mêmes émissions télé, et fréquentent les mêmes boîtes de nuit que les vedettes du cinéma ou de la chanson. On s'aperçoit que ces nouveaux mannequins ont un penchant pour les rockeurs. Celles et ceux qui lisent la presse people et rock sont au courant des idylles nombreuses qui ne tiennent souvent qu'à à un fil. Iman est en compagnie de David Bowie, Stéphanie Seymour tient le bras d'Axl Rose des Guns & Roses, Naomi Campbell s'affiche

aux côtés du bassiste de U2, Helena Christensen sort avec Michael Hutchence d'INXS, Linda Evangelista participe au clip Freedom de George Michael et Yasmin a même passé la bague au doigt de Simon Le Bon (Duran Duran). Les couples connus se retrouvent donc à vivre ensemble, c'est une réalité de plus en plus courante. Carla vit de son côté quelques aventures amoureuses sans lendemain. Quoi de plus normal à son âge. Elle se dit beaucoup plus attirée par les chanteurs, elle aussi, que par les hommes couturiers ou mannequins. Carla explique qu'elle possède des points communs avec certains. Par exemple, elle adore la musique et pour écrire des textes de chansons, elle procède de la même manière : elle prend des bouts de papier et note les idées qui lui viennent. De s'apercevoir que bon nombre d'auteurs font la même chose, la rassure.

Carla travaille énormément, mais aime tellement son métier qu'elle n'a pas cette impression de se dépenser autant. Elle savoure chaque jour qui passe en se croyant dans un autre monde. Un monde idéal qui n'apporte que de belles histoires à raconter. Un peu comme dans un conte de fées où tout est joyeux. Carla exerce peut-être un métier merveilleux à son goût, mais si elle est si prisée par les couturiers, c'est grâce à son talent inouï. Carla est un mannequin situé bien au-dessus du lot et sa culture fait des envieuses parmi ses consœurs. Elles sont peu nombreuses à dévorer autant de livres, à écrire aussi bien. La jeune Bruni est considérée comme une intellectuelle dans le milieu de la mode. Depuis l'enfance, elle a gardé ce goût affirmé pour les activités de l'esprit.

Il est certain que Carla n'exerce pas son métier par nécessité, mais uniquement par plaisir. « J'avais un succès fou, c'était divin de jouir de tout cela, j'aurais été idiote de ne pas en profiter... Je me suis épanouie dans cette vie, ma première jeunesse, à faire Paris-New York deux fois par semaine. Cela valait le coup de bien s'amuser... » À l'unanimité, mademoiselle Bruni émerveille les grands couturiers et le public l'adore toujours autant. Loin des activités artistiques de sa famille, elle fait son chemin à sa manière. Elle n'est pas la créatrice des beaux vêtements qu'elle porte, mais bien celle qui les met en valeur avec son élégance. Pendant toute une décennie, elle restera la reine des podiums, la bien-aimée du monde entier. Une réussite qu'elle a menée à bien grâce à la confiance que lui ont manifesté tous ses admirateurs et avec l'aide de sa famille depuis le début. « Ma sœur me disait toujours. Tu devrais faire des chansons. J'ai une famille qui ne juge ni dans un sens ni dans l'autre. Mon frère est graphiste et photographe et c'est pareil. Nos parents n'intervenaient jamais, il n'y avait pas de castration. Au contraire, ils m'ont beaucoup encouragée. On s'est plantées plein de fois avec ma sœur mais au moins, on a fait les choses. Petite, j'infligeais à mes parents de m'écouter chanter avec ma guitare, ils trouvaient toujours ça super. »

Carla a une fragilité dans sa voix qui l'a rend touchante

1997 est sa dernière année d'exercice dans le milieu de la mode. Même en fin de carrière, elle est restée cette jeune femme au sommet de la gloire, tant prisée par les plus grands couturiers. Elle ne quittera pas tout à fait cette profession qu'elle affectionne plus que tout. À la demande de ses anciens employeurs, elle reviendra arpenter les podiums. En 2006, elle réapparaît à la demande d'Yves Saint-Laurent pour la cérémonie d'ouverture des Jeux d'hiver de Turin. On la voit vêtue d'une armure argentée, lui moulant le corps. L'année suivante, Carla enchaîne pour Tommy Hilfiger en proposant une idée originale : elle imagine en effet la conception d'un sac vendu sous son effigie au profit de la lutte contre le cancer du sein. Enthousiaste, la jeune femme accumule les apparitions dans des domaines qu'elle n'avait pas encore explorés : des spots publicitaires pour BNP Paribas, ainsi que pour le lancement de la dernière Lancia en passant par des clips inopinés conçus avec Louis Bertignac pour Martini.

Mais Carla prévoit de tourner définitivement la page. Il ne s'agit là que de simples expériences transitoires. La jeune femme, passionnée de musique, est tentée par la chanson. Elle possède une jolie voix, des connaissances en instruments tels que le piano et la guitare. Alors, à quoi bon rêver, si le rêve n'est pas concrétisé un jour ou l'autre !

Son plus beau rêve : la chanson

Avant de se projeter dans une carrière de chanteuse, elle s'y prépare longuement. Lucide, Carla Bruni ne souhaite pas devenir une vedette minute, mais quelqu'un qui s'inscrit dans une perspective durable. Sa mutation dans le monde des interprètes se veut prudente et passe par le cinéma, l'histoire de se tester encore, de mesurer son impact auprès du public. Du moins, c'est ce que tout le monde croit. Mais n'est-ce pas plutôt pour assouvir un vieux rêve d'enfant ? Depuis toute petite, elle a vu jouer ses parents et plus tard sa sœur. Attirée elle aussi par cet art, Carla a sans doute trouvé le bon moment pour se glisser dans la peau d'une actrice : juste après le mannequinat et avant la chanson. Elle tourne alors dans le film *Paparazzi*, d'Alain Berberian. Un rôle complètement à la mesure de cette débutante qui se retrouve dans la situation de sa propre vie de célébrité. Carla n'est d'ailleurs pas vraiment une novice dans le cinéma, puisqu'il ne s'agit pas de sa première apparition sur le grand écran. En 1996, c'est-à-dire deux ans auparavant, elle était au générique du film *Catwalk*, de Richard Leacock. Une nouvelle fois, elle a pu se sentir à l'aise, introduite dans le monde des Top modèles aux côtés de Christy Turlington.

Mais c'est la chanson qui l'émerveille le plus. En 1999, la jolie jeune femme n'éprouve aucun mal à organiser des rencontres pour se lancer. Elle retrouve Julien Clerc, lors d'un dîner. Ils parlent de musique et dans la conversation Carla lui confit qu'elle écrit des chansons. Intéressé, Julien lui propose qu'elle lui adresse un texte par fax, celui qu'elle souhaite. Aussitôt dit, aussitôt fait. Le chanteur reçoit *Si j'étais elle* qui lui plaît beaucoup. Il demande alors à Carla de lui en envoyer plusieurs. Parviendront *Aussi vivant, Se contenter d'ici-bas, Silence caresse, On serait seuls au monde* et *Désobéissante*. Ces nouveaux textes ne font que renforcer la première impression de Julien, admiratif à l'égard de ce travail d'écriture. L'interprète de *La Californie* décide de tout garder, c'est-à-dire les cinq chansons pour son album intitulé *Si j'étais elle*. Paru en 2000, ce disque est un vibrant hommage pour une parolière débutante dont c'est le premier jet. Partout où il se rend en promotion, l'artiste aux tubes multiples, ne manque pas de louanges pour l'ex-mannequin, toujours prêt à la complimenter. Cette relation professionnelle profite aux deux et sera habilement entretenue. En 2003, ils se retrouvent autour d'un autre album du chanteur. Cette fois, il demande à Carla d'adapter en français des textes américains des années trente et cinquante. Ils chantent également en duo

I Get Along Without You Very Well de Hoagy Carmichael. L'adaptation en français donne le titre suivant : *Qu'est-ce que tu vois ?* Quelle remarquable interprétation, réunissant deux artistes efficaces tant ils sont complémentaires ! Carla commence bien son entrée dans la chanson, même s'il reste à franchir le principal palier : le chant, devenu son objectif prochain. En attendant, sa reconversion est pleine de promesses. C'est dans les chansons d'amour que Carla se montre particulièrement convaincante, faisant appel à son vécu. La belle italienne a le don de sublimer

La voix douce de Carla fait passer aisément ses émotions

la langue française comme le faisait Ferré à son époque et aujourd'hui Cabrel. Son mérite est d'autant plus grand, qu'elle n'a appris le français qu'à partir de 15 ans : « Petite, comme étrangère, j'étais passionnée par le français. Je l'ai appris à Paris mais comme j'étais à l'école italienne jusqu'à 15 ans, ce n'est qu'après que j'ai étudié la grammaire et la littérature française. La rencontre a été énorme, elle a commencé par Guy de Maupassant, Baudelaire, Rimbaud puis Proust et Céline qui a été un fracas dans ma tête. Puis Sarre… Le français a été la lecture. La première page de *L'étranger* de Camus, j'ai dû refermer le livre, tellement c'était trop fort. Idem pour *À la recherche du temps perdu* qui m'a assassinée. Je suis tombée amoureuse comme on est à 15 ans : passionnée. »

La plume de Carla encouragée sans cesse par Julien Clerc, que rêver de mieux ! C'est un gage pour l'avenir de la jeune femme, complètement métamorphosée depuis cette association. Avant de connaître Julien, elle doutait de ses compétences, hésitait à se lancer. Il lui manquait l'assurance qu'il a su lui transmettre. Après le temps de la collaboration, vient le temps de voler de ses propres ailes, pour la jeune artiste. Elle est maintenant en confiance pour aborder son premier disque. Avant, elle met au monde en 2001, un joli bébé prénommé Aurélien.

En novembre 2002, cet album tant attendu arrive enfin dans les bacs. Depuis déjà longtemps on ne parle que de lui. *Quelqu'un m'a dit*, c'est ainsi qu'il s'intitule. Grâce à la notoriété de Carla obtenue sur les scènes parisiennes après dix ans de défilés de mode, on s'attendait qu'elle signe un contrat avec une grande maison de disques. D'ailleurs, plusieurs étaient prêtes à la faire chanter. Mais c'est finalement, Naïve, un label indépendant qui l'accueille. Vous savez, Carla est une femme humble qui ne ressemble pas à ces stars orgueilleuses. Elle est beaucoup plus attachée à la reconnaissance du public vis-à-vis de son travail. Rappelons-le, si elle s'aventure aujourd'hui dans le métier de la chanson, ce n'est pas pour apparaître en simple figurante, mais bien pour chanter très longtemps ! Clairvoyante, elle s'occupe personnellement de ses affaires en créant sa société, Free Démo, qui édite ses chansons. Carla a l'habitude de gérer elle-même sa vie professionnelle. Quand elle évoluait en tant que mannequin, elle ne laissait à personne le soin de s'en occuper à sa place. C'est un ami de longue date, Louis Bertignac, qui est chargé de réaliser, d'enregistrer et de mixer l'album.

Il ne faut pas attendre très longtemps, pour s'apercevoir de l'engouement du public envers ces nouvelles chansons. L'album de Carla se hisse en tête du top et atteint des chiffres de vente faramineux. Après un an d'exploitation, la maison de disques fait ses comptes : deux millions d'exemplaires se sont écoulés dans le monde (1 200 000 rien qu'en France). La performance doit faire des envieux parmi les artistes installés ! Certainement, car avec la crise du disque déjà visible, il est bien difficile d'obtenir un triomphe de cette ampleur. Tout au mieux, les meilleures ventes de l'époque s'approchent péniblement du million. N'étant qu'une débutante, la belle chanteuse frappe fort. En plus, pour couronner le tout, la voilà nominée aux Victoires de la musique, en 2004. C'est elle qui remporte le trophée dans la catégorie Artiste féminine de l'année. Quelque temps plus tard, la chanteuse obtient le prix Raoul-Breton qui gratifie un auteur ou un compositeur.

Premier album, premier succès

Au vu d'un marché du disque morose, l'album de Carla Bruni fait figure d'exception. L'originalité de l'opus a sans doute été déterminante dans ce succès. L'accompagnement musical, réduit au strict minimum, se veut particulièrement sobre. La voix douce de l'interprète peut ainsi faire passer aisément ses émotions. Dans le genre nouveau, on ne fait pas mieux. Quand on écoute Bruni, on pense naturellement à Henri Salvador et les chansons délicates de *son Jardin d'hiver*. Comme lui, la chanteuse est apaisante. La douceur de l'interprétation caresse les mots et donne un sentiment de bien-être. La couleur folk des morceaux inspirée par la simplicité rend cette œuvre facilement accessible ! Ce pari est largement réussi puisque, tout en se démarquant des autres productions, *Quelqu'un m'a dit* séduit le grand public. Avec un premier album, face à la concurrence de fin d'année, dominer à ce point les plus grands artistes tient de l'exploit. Qui pouvait prévoir un tel raz-de-marée sur l'hexagone ? Certainement pas cette brune aux yeux clairs, la première surprise par le phénomène qu'elle engendre. Mais au fond, elle est pleinement responsable de ce qui lui arrive : l'auteur-compositeur de ces chansons sublimes, c'est elle. Pendant son travail d'écriture, elle ne s'est jamais écartée des choses simples qui lui ressemblent, voulant conserver à tout prix son authenticité. Le public adore les artistes sincères. Lors d'une interview, Carla nous éclaire un peu plus sur son album magique :

« Je me dis que les gens ont envie de trucs simples, qu'ils sont sensibles au contraste avec mon image d'avant qui était artificielle. Ça a surpris, j'imagine. Moi, je fais du folk,

je serais incapable de faire autre chose. Après, avec la firme de disques, cette volonté de simplicité, c'était pour ne pas interférer avec mon passé. J'ai donc pu dire que je n'avais pas envie d'être maquillée sur la pochette, ou que je ne voulais pas faire telle émission télé en short... On n'a été que de surprise en surprise car ça n'a pas été fait pour. Les gens en ont peut-être un peu marre qu'on leur propose des choses «faites pour» justement. Ils ne sont pas tous prêts à aller dans le même sens... »

La chanteuse reconnaît qu'il n'a pas été facile de convaincre les radios. Bien peu d'entre elles envisageaient de programmer les titres au début. Pour se justifier, la principale raison évoquée marquant ce peu d'intérêt : « les chansons jugées intimistes ne sont pas pour nous» dit-on le plus sérieusement. De tels discours font bien rire Carla qui prend la chose avec humour. Il suffit pourtant que le succès de l'album devienne évident, pour constater une appréciation différente. Carla a beau être célèbre, elle ne bénéficie pas pour autant de faveurs. Cela prouve bien que c'est uniquement grâce à son talent, qu'elle doit sa réussite. Carla a toujours gardé une certaine modestie vis-à-vis des performances qu'elle obtient. Pourtant, son triomphe lui a donné de multiples occasions de se mettre en avant ! Au contraire, la chanteuse a plutôt tendance à relever les défauts qu'il peut y avoir sur son disque. Un jour, en écoutant une de ses chansons à la radio, entre deux autres morceaux, elle confie à un journaliste. « Ils ont passé mon morceau entre deux disques de personnes très connues et talentueuses. Je me suis rendue compte à ce moment-là à quel point mon disque était un ovni. Au départ, je ne me rendais pas compte car j'ai toujours écouté Léonard Cohen, Richie Lee Jones... Pour moi, c'est ça les disques. Du coup, j'ai trouvé que mon disque était un sous-produit à côté des deux autres. »

Un autre point clair montre bien la retenue de cette artiste. Parmi ses connaissances, elle aurait très bien pu demander à Daniel Lanois de produire son disque. Ce dernier est un ami et l'un des producteurs de rock les plus en vue sur le plan international. Il s'occupe entre autres de Dylan et de U2, des pointures incontestables. Carla Bruni confie à son sujet : « C'est un grand ami à moi. Je l'ai vu travailler en studio. Je lui ai envoyé mon disque à Los Angeles et il m'a laissé un message sur mon répondeur : j'adore ton disque, j'adore la voix et dis à ton copain Bertignac qu'il a fait du bon boulot. J'ai archivé le message et je l'ai passé à Louis. »

Oui, Carla Bruni est une artiste de grande classe dans la chanson. Elle écrit divinement. Sa plume agile, amusante, subtile, imagine des textes tout en finesse. Elle ne se contente pas seulement de poser sa belle voix dessus, elle est en plus une compositrice inspirée, signant la plupart des musiques. Très vite, le titre *Quelqu'un m'a dit*, devient un hit impressionnant. Le show-biz a le souffle coupé. Une surprise provoque toujours ce genre de réaction quand elle est sublime ! Carla a cette facilité déconcertante de bien choisir les mots. Elle parle d'amour avec le discernement approprié, selon la gravité ou la légèreté de l'histoire. Elle adore jouer avec les mots comme aimait le faire Gainsbourg.

On ne peut qu'être sous le charme de ce disque. Louis Bertignac a su parfaitement embellir chaque morceau, leur apportant une pureté inouïe. Il a surtout permis, en allégeant les sons, de mettre en valeur la voix langoureuse de Carla. Bien sûr, l'artiste n'est pas la seule à posséder ce timbre chaud. Mais quand même, elles sont finalement peu nombreuses à nous envoûter à ce point. Claudia Cardinale

ou Monica Bellucci sont appréciées pour leur voix, en Italie, mais chanter n'est pas leur vrai métier. Si Carla Bruni est particulièrement à l'aise pour interpréter ses chansons dans les salles de spectacle, ce n'est pas tout à fait le cas de ses consœurs. Le public ne s'y trompe pas, il sait reconnaître une étoile entre toutes. L'étoile Carla Bruni brille intensément, sans doute plus éblouissante que les autres à travers ce qu'elle a montré sur ce premier album. Il suffit d'écouter une chanson pour vouloir connaître l'ensemble du disque.

La chanteuse et son entourage n'ont rien négligé dans leur travail préparatoire. Avant la sortie de l'album, ils ont souhaité montrer un petit sujet sur elle, l'histoire de se remémorer son parcours. Pour cela, ils ont fait appel au réalisateur belge, Serge Bergli, spécialiste des reportages et concerts : « Quand j'ai écouté le CD qu'on m'a envoyé, cela me rappelait les débuts de Françoise Hardy. J'ai donc accepté, c'était une belle opportunité. Le tournage a duré deux bonnes journées. La première chose dont je me souviens quand j'ai débarqué avec mon équipe à son appartement dans un hôtel de maître du boulevard Saint-Germain, c'est que j'y ai croisé Marianne Faithfull. Depuis *Broken English* en 1979, elle était un mythe pour moi. Je m'attendais à voir débarquer Jagger d'une autre pièce. En fait, elle passait le week-end de la Toussaint chez son amie. Après, Carla nous a accompagnés à la cuisine, avec son élégance de gazelle. Avec elle, il y a toujours comme une distance naturelle qui s'installe. Ce n'est jamais méprisant mais toujours charmant. Il y avait aussi le bébé et la nounou. J'ai gardé des rushes où on voit Marianne Faithfull avec Aurélien dans ses bras. On s'est revus quelques jours après la sortie du disque pour une session chez Bertignac, dans un home studio, là où le disque avait été enregistré. Ils ont improvisé de façon très naturelle. »

Serge Bergli conçoit un film promotionnel de 26 minutes où l'on voit Bruni et Bertignac interpréter : *I Got The Blues, Far Away Eyes, Beast of Burden* des Stones, *Every Breath You Take, So Lonely* de Police, *Bridge Over Troubled Water* de Simon & Garfunkel et *You're So Vain* de Carly Simon. Mais devant l'ampleur du succès de *Quelqu'un m'a dit*, Naïve, la maison de disques, envisage les choses en grand avec une autre version du disque comprenant les vidéos de Léos Carax et bien sûr le film de Bergli intitulé *Elle et Louis en studio*. Paradoxalement, le triomphe du titre apporte aussi quelques complications navrantes. L'entourage devenu plus important autour de Carla donne du fil à retordre à cette dernière, pas toujours consultée lors des décisions à prendre. Par exemple, sept minutes du film ont été coupées sans que la chanteuse ne puisse donner son avis ! D'après Serge Bergli, cette entaille au film a déséquilibré le montage.

La deuxième version de *Quelqu'un m'a dit* présente un DVD bonus captivant. Il permet de se replonger pendant quelques minutes dans sa vie passée de mannequin, mais également, on peut découvrir des moments confidentiels de l'artiste dans sa propriété en bord de mer, proche du Lavandou. Sa parution, fin 2003, procure une joie intense chez les admirateurs.

La belle chanteuse effectue une importante promotion. La presse, la télé, les radios, Carla ne refuse pas grand-chose. C'est dans son intérêt bien sûr, mais à cette logique il faut y voir un vrai plaisir de rencontrer les journalistes et les animateurs. Carla est comme cela, enthousiaste à toutes les activités qui composent son métier. D'ailleurs, elle est appréciée des médias partout où elle se rend. Gentille, charmante, disponible... on lui prête d'innombrables qualités en dehors de ses aptitudes purement artistiques. Début 2003, elle s'accorde un repos bien mérité avant de rejoindre Bruxelles au mois de mars.

Sur le quai de la gare du Midi, Christophe et Damien l'attendent avec impatience. Tous les deux s'occupent de la firme indépendante Bang, le distributeur en Belgique du label Naïve. Tétanisés par le trac, les deux jeunes gens le sont comme jamais. C'est bien la première fois qu'une star aussi irrésistible leur rend visite. D'habitude, ils traitent avec des rockeurs. Alors, rien n'est pareil ce matin-là. Ils l'aperçoivent soudain au bout du quai, preuve qu'elle tient ses promesses. Christophe Waeytens raconte cette journée qu'il considère comme un excellent souvenir : « Pour ce que je la connais, je dirai que c'est quelqu'un de bien. À la fois simple et charmeuse. C'est elle qui d'emblée nous a fait la bise quand elle a débarqué sur le quai de la gare, accompagnée d'une collaboratrice de sa firme de disques (...) Je crois que Carla est quelqu'un de très simple, qui s'adapte à tout, qui pourrait très bien aller faire du camping et le lendemain prendre un jet privé. Comme c'est souvent le cas dans ces familles dont la fortune n'est pas due à la noblesse mais au commerce. Ils ont le sens du travail et du mérite (...) On a passé de bons moments ensemble, même si elle est rentrée le soir même. Elle nous a raconté des anecdotes sur Mick Jagger, expliquant comment passer inaperçu dans la rue. Il suffit vraiment de le vouloir. De s'habiller en conséquence. Personne ne se retournait sur elle à Bruxelles. Carla est vraiment gentille et ne sait pas dire non. C'est pour cela qu'elle a besoin d'un entourage pour faire le tri et dire non à sa place. » Carla Bruni a également choisi la Belgique pour chanter en live, la toute première fois sur une scène (la RTBF), à l'émission de Jean-Pierre Hautier.

Elle adore jouer avec les mots comme aimait le faire Gainsbourg

Après avoir attendu près d'un an, depuis la sortie de son album, la chanteuse se sent prête pour son baptême de scène. Nous sommes le 3 octobre 2003, et un petit concert privé est organisé au studio radio de la RTBF à Bruxelles, dans le cadre de l'émission *Bonjour quand même*, animée par Jean-Pierre Hautier. Quelques dizaines de personnes seulement assistent à la prestation (le studio est tout petit). L'artiste est accompagnée de trois musiciens et une concertiste submergée par le trac, mais pourtant irréprochable vocalement.

Pas de doute, la jolie Carla adore chanter devant son public. Elle ne résiste pas à remonter sur scène, trois semaines plus tard, à la demande de son ami Daniel Lanois. Elle interprète avec lui le titre *Sometimes* sur la scène de l'Elysée-Montmartre, à Paris. Plus elle est sur scène, plus elle prend goût à chanter en live. Pour contenter son plaisir, le rythme des concerts n'est jamais suffisant. Au lieu de quelques dates clairsemées, les rendez-vous deviennent réguliers. Lors de la remise du prix Constantin, dont elle est l'une des dix lauréates, Carla est invitée au Trianon pour interpréter *Tout le monde*. Le 7 novembre, elle arpente la scène de la Cigale en tant qu'invitée surprise du festival Les Inrocks. L'année commence bien, le 23 janvier 2004, elle donne un vrai récital à la Ferme du Buisson, à Marne-la-Vallée. Elle est accompagnée d'un pianiste et de son ami Louis Bertignac. Fidèle à la Belgique, elle chante au studio 4 de Flagey, les 30 et 31 janvier 2004, avant d'enchaîner à Paris, au théâtre des Bouffes du Nord, en février et au Trianon, en mai.

Carla se donne en spectacle

Les spectateurs éblouis par le charisme et la voix de l'interprète lui sont fidèles. Non seulement, certains admirateurs la suivent partout, mais l'encouragent par l'enthousiasme qu'ils manifestent dans les salles. Carla est devenue une chanteuse à part entière, admirée et admirable. Elle invente pour les yeux et les oreilles du public, un style Carla Bruni. Mais comment s'y prend-t-elle sur scène avec un répertoire aussi court, se résumant à un seul album ? Comme de nombreuses débutantes à court de chansons, l'artiste offre des reprises à sa convenance de Lucio Battisti (*En penso a te*), Jacques Higelin (*Cigarette*), Emmylou Harris (*Love Hurts*) et les Stones (*Sweet Virginia*, *Wild Horses*). Avec ses propres chansons et les autres extirpées de plusieurs répertoires, elle offre un programme éclectique de toute beauté.

À mesure qu'elle évolue sur les planches, la demande du public devient de plus en plus forte. Au Trianon, par exemple, Carla se produit pendant trois semaines. L'occasion de changer de répertoire et de glisser de nouvelles chansons comme *Fernande* de Brassens, dont l'interprétation du titre figurera sur l'album hommage du chanteur disparu, publié en 2006. « Oui, c'est vraiment la chanson qu'on ne chante pas quand on est une fille. Alors, j'ai trouvé ça marrant. Je suis une punk, en fait. Une bourgeoise piémontaise punk. »

Comme chaque année, les Enfoirés de Coluche se retrouvent pour l'opération caritative des Restos du Cœur. Goldman est à la tête d'un groupe d'artistes unis pour venir en aide aux plus démunis. De nouveaux visages apparaissent régulièrement au fil des ans et pourquoi pas celui, cette fois, de Carla Bruni ? Mais on a beau regarder scrupuleusement notre écran télé, elle ne se montrera pas avant 2007. Vous savez, l'artiste est sollicitée en permanence. Il ne lui a pas été facile de choisir et de se libérer. C'est d'abord Sol en Si, l'association Solidarité Enfants Sida qui bénéficie la première de son aide. Carla chante *Même si je suis top* et en groupe avec Calogero, Zazie, Souchon, Voulzy, Maurane, Chedid, Lara, Leau, Jonasz et Cabrel, *C'est très formidable*. Il faut attendre 2007, donc, pour remarquer la présence de Carla aux Restos du Cœur. Là, elle chante une chanson de Barbara, *Dis, quand reviendras-tu ?* aux côtés de Raphaël, Bruel et Zazie. L'artiste a le don de s'adapter à chaque fois pour donner le meilleur d'elle-même et c'est un régal pour tout le monde.

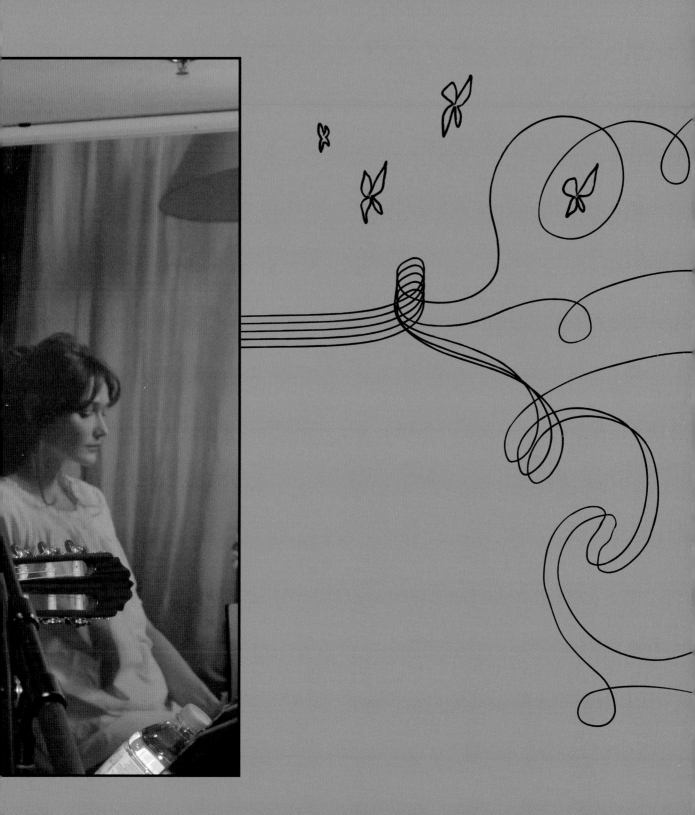

Après avoir tenu un micro, le temps d'honorer quelques dizaines de concerts, c'est la parolière qui réapparaît. D'abord, elle écrit pour le compte de son ami Louis Bertignac, la quasi-totalité de son album, *Longtemps*. Puis elle se plonge dans un travail personnel de longue haleine, car l'année 2006 est entièrement consacrée à l'élaboration de son deuxième album. Elle ne se montre plus beaucoup en public mais c'est comme ça pour tous les créateurs artistiques, au moment de la plus forte concentration de l'esprit. Pourtant, un événement douloureux va bouleverser la famille Bruni et faire couler des larmes sur les visages anéantis : la mort de Virginio, le frère de Carla, emporté par le sida à 46 ans. Carla pleure des jours entiers et ses longs sanglots ne peuvent plus s'arrêter. Sa sœur et sa mère vivent la même souffrance. La cadette des Bruni ne veut pourtant pas relâcher la volonté qui l'habite. Elle fait face en poursuivant son travail avec courage. Elle va même jusqu'à saborder ses propres chansons en anglais pour préférer des poèmes de Dorothy Parker, Emily Dickinson, William Butler Yeats, Wyston Hugh Auden, Walter De La Mare et Christina Rossetti.

Carla explique son choix en conviant quelques journalistes dans un petit restaurant à quelques pas de chez elle : « C'est bizarre car, avant cela, quand j'ai présenté des textes à Bertrand de Labbey (son futur agent), j'avais une quinzaine de textes en Italien et une vingtaine en anglais, en plus des maquettes en français de *Quelqu'un m'a dit*. J'écrivais déjà en trois langues. C'est Bertrand qui m'a dit que le français l'intéressait. J'ai donc mis d'emblée de côté mes chansons en italien et en anglais. Alors que je ne suis pas française. J'ai toujours du mal à le faire savoir. Je suis donc très heureuse d'être reconnue comme auteur francophone car pour moi, c'est un challenge incroyable. C'est de loin le plus difficile. »

La préparation d'un deuxième album

La chanteuse considère que ses textes sont trop anciens pour refléter sa vie d'aujourd'hui et surtout ce sont ses idées qui ont changé. À quoi bon, pense-t-elle, livrer des chansons qui n'ont plus aucune signification : « Elles ne sont plus bonnes pour moi. Je ne ressors pas une masse de choses de derrière les fagots. Un texte mis de côté devient vite caduc. On peut réécrire une idée, peut-être. J'ai fait beaucoup de musique, des mélodies que j'enregistrais. Je trouvais qu'elles iraient bien avec des textes en anglais que je me suis mis à écrire, mais que je trouvais moyens. J'ai donc commencé à lire, de tout. Je suis une grande lectrice. Je ne sais pas si on sait écrire sans beaucoup lire. Avec mon petit bonhomme, j'ai moins le temps de lire, sinon en vacances. »

Pour établir une sélection des textes, la chanteuse doit être objective. Elle rassemble tout ce qu'elle peut et réussit le parfait équilibre en choisissant parmi six auteurs, trois femmes, trois hommes. C'est tout à fait par hasard confie Carla. Bien évidemment, l'artiste s'est déterminée en fonction du contenu des poèmes et non pas sur des identités. Les poètes d'aujourd'hui ne lui ont pas laissé un grand emballement et c'est naturellement vers les poèmes du passé qu'elle s'est tournée. Elle a fini par trouver ce qu'elle cherchait : de la mélancolie, des mots sombres, beaucoup de tristesse en somme, mais avec de l'espoir. L'existence humaine est une source intarissable d'événements noirs que Carla entend bien chanter. Les femmes seules en détresse sont parmi les portraits qu'elle aime brosser.

La chanteuse est apaisante

À sa sortie le 15 janvier 2007, *No Promises*, le deuxième album de Carla Bruni est comme on l'attendait : inattendu, décalé, poétique et tout en anglais. Un disque à la conception très différente de ce qui existe mais donc aux antipodes du précédent. Malgré ce changement brutal, Carla avoue se sentir très proche des nouvelles chansons. Elle n'en finit pas de vanter les mérites de Louis Bertignac, l'ex-chanteur du groupe Téléphone. Il est vrai qu'il lui a concocté des musiques sur mesure, très apaisantes. Quand on écoute cet album, la quiétude nous envahit. On se sent bercé, comme enveloppé par la douceur des sons. Bertignac a frappé fort et tout en délicatesse. Carla et Louis entretiennent une collaboration très étroite : elle, s'occupe des textes de leurs albums respectifs et lui travaille les compositions. Une entente idéale que beaucoup d'artistes rêveraient d'avoir. Mais cette collaboration unique, qui d'autre que Carla peut en parler aussi bien : « Louis est comme un frère pour moi. Il fait tout, seul à la maison. Il avance à pas de géant. Il deviendra vite une star de la production… Un grand ami à moi, qui fut le manager du groupe Téléphone, et celui de Marianne Faithfull aujourd'hui, m'a dit que cela ne l'étonnait pas car à l'époque où le groupe Téléphone était en studio avec Bob Ezrin ou Glyn Jones, Louis restait toujours là, fasciné par la production, alors que les trois autres allaient manger ou dormir. L'accord que nous avons, Louis et moi – il produit mes disques, j'écris les siens -, est plaisant et facile à respecter. Pour moi, c'est un bonheur de travailler avec lui. J'aime ça par-dessus tout. Ce n'est pas seulement affectif, c'est aussi musical. Il est comme un tailleur qui habille mes chansons. »

Un succès mitigé pour *No Promises*

Carla le décrit comme un musicien exceptionnel, avec cet entrain irrésistible qu'on les italiennes. Mais sa modestie l'empêche toujours autant de parler d'elle. Pourtant la chanteuse a de nouveau montré ses atouts vocaux, et nous a surpris en interprétant des paroles en anglais. Elle a cette fragilité dans la voix qui la rend touchante, comme l'anglaise Jane Birkin. Sa popularité en tant que chanteuse dépasse largement toutes les prévisions. D'une femme célèbre dans le mannequinat, elle passe directement au statut de star aujourd'hui. On ressent une grande considération du public à son égard depuis qu'elle est une artiste : elle écrit, elle chante, donne des spectacles. Carla est devenue une créatrice.

Si *No Promises* réussit à atteindre des ventes moyennes (110 000 exemplaires), nous sommes pourtant loin du record de *Quelqu'un m'a dit*. Pour son premier opus, la chanteuse avait obtenu le titre de meilleure exportatrice francophone de l'année. Là, ce n'est pas le cas, car même en France, ce deuxième album n'a pas connu le sommet du top très longtemps. Pour les fêtes de fin d'année 2007, Naïve sort un coffret de *No Promises* comportant un recueil de poésie anglo-saxonne, ainsi qu'un duo avec Lou Reed.

Tous les admirateurs s'attendent à une série de spectacles et peut-être même une tournée. Mais rien n'est prévu. Carla adore chanter en public, mais la vie de tournée ne lui plaît pas, raconte-t-elle. L'album n'aura donc pas le soutien des concerts pour conforter les ventes. Et nous, nous serons privés d'une chanteuse de talent dans les salles. Finalement, le résultat mitigé de *No Promises* s'explique simplement. Il était même prévisible. Un album en anglais dans le pays des gaulois ne fait que très rarement recette. Le danger vient toujours de l'extérieur ! Les dix premières ventes dans l'hexagone au cours d'une année sont neuf fois sur dix, des albums en français. Alors, pour Carla et son disque, rien de bien étonnant de les voir largués au second plan. Seules les stars internationales ont tout intérêt à prévoir la langue anglaise. Pour les artistes nationaux, c'est fortement déconseillé, à moins que le but visé ne soit pas commercial !

Carla est une artiste de grande classe dans le monde de la chanson

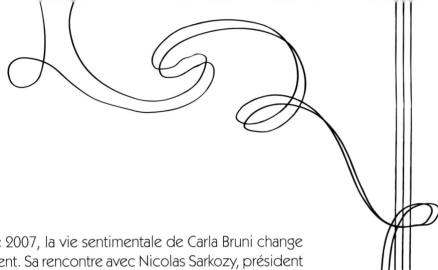

À la fin de 2007, la vie sentimentale de Carla Bruni change radicalement. Sa rencontre avec Nicolas Sarkozy, président de la République française, devient un événement médiatique sans précédent. Lorsque, ensuite, la relation est officialisée par un mariage, la France entière garde les yeux braqués vers les médias afin de suivre les moindres faits et gestes. Mais cela étant dit, c'est la chanteuse qui nous intéresse, l'objet de ce livre étant de vous faire partager son parcours professionnel. Un troisième album est d'ailleurs rapidement mis en route, puisque un an et demi tout juste, le sépare du précédent. Carla travaille durement pour écrire et composer ce nouveau disque, cette fois sans l'ami Louis Bertignac. Mais bon, l'inspiration est là, de toute façon. Carla note toutes ses idées sur son cahier bleu. Elle écrit abondamment, mais abandonne à peu près 80% des textes, raconte-t-elle. Durant l'ébauche d'écriture, elle travaille également les compositions à la guitare, soit 30 à 40 morceaux qu'elle enregistre sur son Dictaphone. Puis, l'artiste harmonise l'ensemble pour concevoir des maquettes.

Après quelques mois de travail intense, les maquettes sont présentées au père de Sinclair, Dominique Blanc-Francard, producteur et réalisateur chevronné. Ce dernier accepte l'album proposé par l'agent artistique de la chanteuse, Bertrand de Labbey. « J'ai accepté tout de suite ! J'aurais adoré faire le deuxième CD de Carla, *No Promises*. J'avais déjà enregistré le son du DVD de son spectacle au Trianon, qui n'est finalement pas sorti mais a été diffusé à la télévision. » Dominique possède un studio d'enregistrement proche des Champs-Elysées et durant cinq semaines avec Carla, ils travaillent les chansons, font un tri, apportent les dernières touches. Pas de temps à perdre, puisque la sortie de l'album *Comme si de rien*

Des chansons animées

n'était est prévu le 11 juillet 2008. En devenant la première dame de France, Carla a tout de même tenu à réaliser son projet. Dominique Blanc-Francard est rassuré. « On avait commencé le boulot et en apprenant la nouvelle, j'ai cru que cet album ne se ferait pas, se souvient le producteur. Comment faire un disque avec un flic derrière chaque guitariste ? Puis Carla m'a envoyé un message en me disant : « Rien ne change, on continue comme prévu. »

La chanteuse est heureuse de cette nouvelle collaboration et souligne l'entente parfaite avec le producteur réalisateur. « Quand je crée, j'ai trop de doutes pour travailler avec quelqu'un qui m'en ajoute. Dominique me tranquillise. »

L'événement n'a donc en rien modifié l'évolution du disque. La chanteuse est venue au studio chaque jour de la semaine. Un membre de la sécurité a vérifié s'il existait une seconde sortie et n'est jamais réapparu. Tout se déroule donc le plus simplement et sans encombre. Soucieuse de bien faire, Carla a même choisi de s'exercer au chant dans son petit studio d'enregistrement installé chez elle. D'où les rumeurs persistantes qui se répandent, disant qu'elle possède son studio au sein même du palais de L'Elysée. Les imaginations vont bon train !

Toujours est-il, le travail progresse bien. Carla écrit et compose ses chansons d'une façon folk. Dominique Blanc-Francard les embellit quant à lui de sa touche personnelle et unique : « Il fallait que je casse ce que Louis Bertignac avait réussi dans le premier album. J'ai alors apporté des touches pop et sixties. » Dominique est séduit d'emblée par les facilités d'interprétation et la voix de l'artiste. « Elle est à la fois soyeuse et gravillonneuse. Et l'insolence de son écriture est parfaitement contrebalancée par le classicisme de son phrasé. » C'est le titre *Tu es ma came* qui a peut-être poussé Blanc-Francard à collaborer avec elle. Il apprécie la liberté de créer que lui offre Carla. À aucun

moment, elle ne s'oppose aux changements qu'il doit apporter aux morceaux. La confiance règne tout au long de la réalisation du disque et chaque séance d'enregistrement se passe divinement bien. « On commence les séances d'enregistrement entre 11 et 13 heures avec les musiciens, raconte Dominique, puis Carla arrive vers 13h30, écoute les musiques… Après son feu vert, elle passe derrière le micro, trois ou quatre prises suffisent. Elle a peur. Elle bavarde, papote… C'est une vraie artiste. Elle répète qu'elle ne va pas y arriver ! Parfois, elle s'énerve contre elle-même en disant qu'elle chante comme un cochon volant ! Puis elle a un problème de casque, elle a besoin de s'entendre fort. Deux titres par jour sont enregistrés sans soucis. »

Plusieurs fois, Nicolas Sarkozy est passé rendre une petite visite à l'équipe au studio, pour écouter le travail réalisé. Carla raconte : « Il ne l'a pas écouté, il l'a subi ! Je lui ai cassé les oreilles avec ce disque. D'ailleurs, je le remercie dans l'album. Vivre avec une artiste, c'est devoir la porter, la rassurer. Après sa journée de vingt heures, je l'ennuyais avec mes soucis de tempo et de sol majeur. »

Ce disque est une fois encore plein de douceur et ressemble beaucoup sur ce point au premier CD. Pour le reste, la patte de Dominique a su apporter des orchestrations chaleureuses. Nous sommes émerveillés par des compositions plus étoffées, à l'image du titre d'ouverture, *Ma jeunesse*, avec des cuivres très présents. Pour les passionnés de slows d'été, nous sommes séduits par la finesse et l'élégance de *Je suis une enfant* ou Carla fait référence à ses 40 ans, *La possibilité d'une île*, un poème de Michel Houellebecq mis en musique. Plus de cuivres, plus de claviers que d'habitude, c'est à travers cette richesse musicale que ce disque se démarque des précédents. *L'amoureuse* est une chanson née à partir de deux phrases notées sur son cahier. Elle a pris forme après quatre heures de réflexion, en collaboration avec Benjamin Biolay qui a effectué les arrangements des cordes. La chanson sortira en single. Cet album de 14 titres bâti autour de l'amour passionné, du temps qui passe, qui reste, est une quête de liberté. Les textes osent franchir certaines limites. On peut y trouver une pointe d'ironie, un peu d'insolence. Tout cela anime les chansons à l'image de *Tu es ma came* où l'amour est considéré comme une drogue dure. Il n'y a vraiment pas de quoi susciter une polémique comme celle que l'on peut lire dans les journaux. C'est juste une chanson qui joue avec le sens des mots ! L'amour éperdu continue avec *Ta Tienne* en forme de déclaration. Vraiment *Comme si de rien n'était* est un disque prenant. À aucun moment, l'écoute de ces chansons est ennuyeuse. Chaque morceau est un joyau irrésistible différent comme l'étonnant *L'Antilope* et ses noirs préjugés avec en arrière-plan le son d'une guitare, *Déranger les pierres*, *Pêché d'envie* inspiré par Ethoven, un *Salut marin* en hommage à son frère. « Il était si pudique : je n'ai pas voulu l'embarrasser en m'adressant à lui directement. C'est pourquoi je parle au marin. » Carla prend aussi des risques avec cette reprise de Bob Dylan *You Belong To Me* ou *Il Vecchio e il Bambino* (Le vieux et l'enfant) emprunté à Francesco Guccini, chanteur italien. Notons que Julien Clerc, fidèle compagnon de travail, s'est une nouvelle fois impliqué dans quelques titres. Tout cela bien sûr, habillé d'une voix douce et légère qui fait tant de bien en l'écoutant. Les auditeurs adorent son côté apaisant.

L'opus de l'artiste bénéficie d'une large diffusion, puisqu'il sort simultanément en France, Belgique, Suisse, Espagne, Allemagne, Italie, Grande-Bretagne, Portugal, Canada et Etats-Unis. À peine dans les bacs, le disque fait la course en tête du top.

Carla n'a pas prévu de tournée (pour des raisons de sécurité) tant que son mari sera président de la République. L'intégralité des recettes de l'album sera reversée à des associations, dont la Fondation de France qui a pour mission d'assister les gens défavorisés.

La jolie Carla aime chanter devant son public

Albums

Mars 2004 :   Quelqu'un m'a dit
              Quelqu'un m'a dit
              Raphaël
              Tout le monde
              La Noyée
              Le Toi du moi
              Le ciel dans ma chambre
              J'en connais
              Le plus beau du quartier
              Chanson triste
              L'excessive
              L'Amour
              La dernière minute

Janvier 2007 : No Promises
              Those dancing days are gone
              Before the world was made
              Lady weeping at the crossroads
              I felt my life with both of my hands
              Promises like pie crust
              If you were coming in the fall
              I went to heaven
              Afternoon
              Ballade at thirty five
              At last the seret is out

Juillet 2008 :   Comme si de rien n'était
              Ma jeunesse
              La possibilité d'une île
              L'Amoureuse
              Tu es ma came
              Salut marin
              Ta tienne
              Péché d'envie
              You belong to me
              Le temps perdu
              Déranger les pierres
              Je suis une enfant
              L'Antilope
              Notre grand amour est mort
              Il vecchio e il bambino

www.carlabruni.com
Biographie – News – Liens – Newsletters – Espace VIP

Site officiel

Sources

Point de vue
Le Parisien
Ouvrage Carla Bruni (La dame de cœur)
Direct soir
Sites internet

Crédits Photos

Polien / *Dalle* / 1re couverture

Holé / *Dalle* / 6
Bertrand Guay / *AFP* / 8-9 / 10
Polien / *Dalle* / 14 / 44
CISFR / *Dalle* / 17 / 61 / 77
Shooting star - Noble / *Dalle* / 18
Cummins / *Dalle* / 20-21 / 64
Monfourny / *Dalle* / 22 / 12-13
Connan / *Eyedea* / 25 / 58 / 67
Alain Benainous / *Eyedea* / 26-27
N.Connan / *Corbis* / 28 / 32
Benainous I Benhamou / *Eyedea* / 31
Auffret / *Dalle* / 34-35
Tony Barson / *Getty images* / 36-37
Barson / *Getty images* / 38
Mephisto / *Dalle* / 41
Simons / *Dalle* / 42-43 / 48-49
Haley / *Sipa* / 47
Serge Benhamou / *Eyedea* / 51 / 82-83
Olivier Laban I Mattei / *Eyedea* / 52
Loftus-Capital / *Dalle* / 55
Floyd / *Dalle* / 56-57
Unimedia-Martin / *Dalle* / 62-63 / 80-81
Furfaro / *Dalle* / 68-69
Benaroch / *Sipa* / 70
Wood Theodore / *Eyedea* / 73
Coccia-Granata / *Dalle* / 74
Gamma / *Eyedea* / 78

AMY WINEHOUSE

- Chansons et spectacles
- Beau livre souple 20x28 cm

À 16 ans, la demoiselle signe son premier album et la voilà aujourd'hui en pleine jeunesse, à la tête de la nouvelle génération.
Découvrez ce parcours vertigineux qui ne cesse de battre des records sur son chemin accompagné des plus belles photos.

AVRIL LAVIGNE

- Chansons et spectacles
- Beau livre souple 20x28 cm

INÉDIT

Ce livre est le témoin de ce parcours géant, auréolé de gloire. Vous allez suivre page par page, les années légendaires d'Avril Lavigne et découvrir avec quelle détermination, elle est devenue une star mondialement reconnue. De nombreuses photos en couleurs accompagnent cette histoire au sommet.

CALOGERO

- Chansons et spectacles
- Beau livre souple 21x29,7 cm

Passionné de musique depuis l'enfance, Calogero monte son premier groupe, les Charts, avec l'aide de son frère et un ami. Au sein du groupe, Calogero montre son autre don inné : le chant. Après plus de douze ans de vie commune à trois, Calogero se sent prêt à affronter une carrière solo. Carrière qu'il réussit à merveille !!

CHRISTOPHE MAÉ

- Chansons et spectacles
- Beau livre souple 20x28 cm

Avec un père musicien, grand amateur de jazz, les oreilles du jeune Christophe Maé sont exercées très tôt. Il se lance dans une carrière artistique et trouve son véritable épanouissement sur scène. Sa participation à la Comédie musicale « Le Roi Soleil » est sans doute le déclencheur véritable de sa carrière... car maintenant il vole seul.

CLAUDE FRANÇOIS

- À la recherche de son image
- Beau livre souple 26x24 cm

L'histoire d'un dessin. Une histoire inédite et touchante racontée par le dessinateur qui avait réalisé ce portrait quelques jours seulement après avoir intégré l'équipe du magazine Salut Les Copains. Si le dessin fut souvent exposé, l'histoire reste à découvrir.

INÉDIT !

DIAM'S

- La revanche du rap
- Biographie 15x21 cm

Diam's grandit dans la banlieue pavillonnaire d'Orsay au sud de Paris. Elle va se distraire dans les cités alentours où elle se laisse ensorceler par le rap. La musique devient un élément naturel chez la jeune fille, une vraie passion à plein-temps. Aujourd'hui, elle est la première rappeuse sur la scène française.

FRANCIS CABREL

- Chansons et spectacles
- Beau livre souple 20x28 cm

Chaque album qu'il produit est un événement. Devenu multi millionnaire du disque, il ne cesse de s'imposer comme l'un des plus grands artistes de l'hexagone.
Découvrez dans cet ouvrage l'une des plus belles carrières écrites dans l'histoire de la musique à travers textes et photos.

JAMES BLUNT

- Chansons et spectacles
- Beau livre souple 20x28 cm

Inspiré, épanoui, la chanson lui donne toute la reconnaissance qu'il mérite. James est bien cet artiste polymorphe, hors normes et hors système qui va s'assurer une postérité mondiale. Cet ouvrage, magnifiquement illustré, vous fait découvrir le parcours exemplaire d'un artiste immensément captivant.

LES BEATLES

- Avant la gloire
- Beau livre cartonné 21x30 cm

INÉDIT !

Nous vivons dans ce livre les premières heures de gloire des Beatles, nous suivons les quatre garçons dans les coulisses de leurs concerts, nous les accompagnons dans leur loge. Nous pénétrons dans l'intimité d'un groupe qui deviendra, et qui demeure à ce jour, le plus grand phénomène musical de tous les temps.

MIKA

- Chansons et spectacles
- Beau livre souple 20x28 cm

INÉDIT !

MIKA effectue très tôt ses premiers pas dans la musique et gagne une notoriété internationale dès son premier album. Écriture, composition, chant, il maîtrise son art de bout en bout. Il démolit au passage, l'idée reçue selon laquelle une vedette pourrait se « fabriquer » artificiellement.

RAPHAËL

- Chansons et spectacles
- Beau livre souple 20x26 cm

Découvrez au fil des pages un artiste fascinant et sensible, apportant avec ses nouvelles chansons, une continuité exemplaire à sa jeune carrière. De superbes photos en couleurs agrémentent cette histoire artistique, déjà décrite comme l'une des plus fabuleuses des années 2000.

SANSEVERINO

- Chansons et spectacles
- Beau livre souple 26x24 cm

Ce livre est l'occasion de découvrir un nouveau chapitre musical de Sanseverino : répétitions, concerts, moment de drôlerie, de tendresse, de complicité entre musiciens et de retrouvailles émouvantes avec le public.

INÉDIT !

TOKIO HOTEL

- Chansons et spectacles
- Beau livre souple 20x28 cm

Constitué de quatre jeunes allemands, le groupe Tokio Hotel fait déferler sur l'Europe une vague d'euphorie. Disques, DVD, concerts sont des succès gigantesques. Avec eux, les disques d'or s'empilent, les tournées sont des triomphes.

YAEL NAIM

- Chansons et spectacles
- Beau livre souple 20x28 cm

L'association de Yael et David paraît si évidente qu'ils préfèrent se présenter comme un groupe. Dans ce livre, abondamment illustré, vous allez suivre le début d'un parcours qui s'annonce prometteur pour la suite.

ZAZIE

- Chansons et spectacles
- Beau livre souple 20x28 cm

Entre un père mélomane est une mère professeur de musique, Zazie est devenue une chanteuse d'envergure. Forte de grandes qualités artistiques, ses compétences sont reconnues dans tout l'hexagone. Zazie se distingue également à travers les albums de Christophe Willem et Calogero dont elle est l'auteur.

Conception et réalisation : ACTUA Expansion
1, Quai de Pors Moro - 29120 Pont-l'Abbé - 02 98 66 13 70

Achevé d'imprimer en Septembre 2008
Imprimé en CEE